I am waiting for your visit
in Caen the next year. Thank
you very much for your welcome

JEAN PIERRE TRIPIER

CHEF DU DÉPARTEMENT EQUIPEMENT

ET MÉCANISATION

during my visit in Lawndale

Greetings for the new Year.

LA RADIOTECHNIQUE

ROUTE DE LA DÉLIVRANDE

CAEN (CALVADOS)

USINE DE CAEN

TÉL. 81-62-35

GAUGUIN

Gauguin

PAR RENÉ HUYGHE

" *Bonjour Monsieur Gauguin* ,,

FLAMMARION

1959

INTRODUCTION

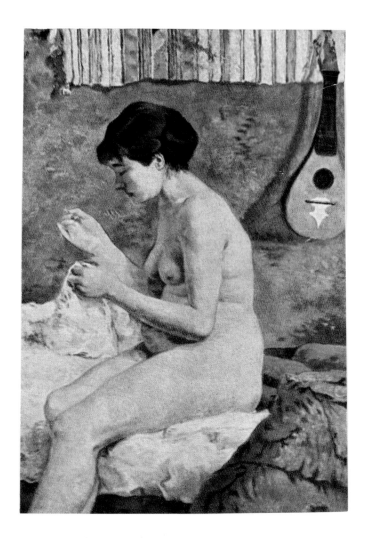

Etude de Nu (Femme assise cousant). 1880.
Ny Carlsberg Glyptothek, Copenhague.

Si le XIXe siècle a commencé à prendre conscience de la transformation de l'homme au cours de l'histoire, il devait appartenir à notre temps d'éprouver toute l'ampleur et toute la brutalité que peuvent atteindre ces changements. Or l'art en reflète l'image intensifiée.

Il appartint à l'impressionnisme, à la fin du XIXe siècle, de clore une ère artistique et d'en ouvrir une autre; il poussa le réalisme jusqu'à son parachèvement le plus aigu, mais, en même temps, il en signa l'arrêt de mort, car la vision de la nature qu'il proposait au public était trop subtile, trop «artiste» pour que celui-ci la reconnût pour sienne. La peinture moderne était née: désormais comptera de moins en moins le souci de copier, de respecter les apparences de cette nature, dont l'imitation, durant des siècles, avait semblé le but suprême de tout art.

Si les impressionnistes contribuèrent à cette révolution, ce fut inconsciemment; ils l'ont seulement mise en marche. Il appartenait à la génération qui leur succéda aux environs de 1885 et qui commença, tout en les admirant, à se séparer d'eux et même à réagir contre eux, de fonder une vision picturale nouvelle et sans exemple depuis des siècles. Parmi ces nouveaux venus, Gauguin a eu les audaces les plus radicales, les plus fécondes peut-être. En juin 1899, de Tahiti, il avait le droit d'écrire à Maurice Denis, qui prenait rang de théoricien du mouvement novateur: «La première partie de mon programme a porté ses fruits: aujourd'hui vous pouvez tout oser, et qui plus est, personne ne s'en étonne».

C'est donc à la génération de 1885 que l'on doit le bouleversement des idées traditionnelles: avec elle l'artiste, en cessant de croire dans l'obédience à la nature, situe, au contraire, sa part créatrice dans la marge d'écart qui sépare du spectacle normal des choses la vision proposée par lui. Mais seul Gauguin a su mettre au service de cette révolution une exigence radicale et une totale lucidité des buts et des moyens. En ce sens, plus que tout autre, il a droit au titre de créateur de la peinture moderne.

Portrait de la grand'mère maternelle de Gauguin :
la Péruvienne Flora Tristan, qui milita en faveur du socialisme naissant.
(D'après une lithographie)

GAUGUIN PRÉCURSEUR

Gauguin, en une phrase célèbre a souligné ce qui le sépare des impressionnistes: « Ils cherchèrent autour de l'œil, et non au centre mystérieux de la pensée ». Tel est le renversement du problème que va accomplir l'équipe apparue vers 1885. Elle conçoit nettement ses revendications et son apport: elle propose à l'art une vérité qui soit non plus dans le monde extérieur, mais dans la pensée ou la sensibilité de l'artiste. Mais nul ne l'ose avec la résolution et l'autorité violente de Gauguin.

Seurat, tendu, concilie la vérité optique avec un calcul abstrait des formes, où la nature se plie aux harmonies mathématiques; Cézanne respecte encore, et même poursuit la justesse des sensations mais il ne peut les séparer de sa pensée, qui en dégage la notion des volumes primordiaux, simples et purs, ordonnés avec rigueur. Par eux l'apport mental complète, exhausse les sensations jusqu'à la beauté; à aucun moment il ne se substitue à elles ou ne les contredit. Progressivement, derrière le voile des apparences, qu'ils n'osaient encore déchirer et rejeter, qu'ils voulaient seulement transparent, ils faisaient surgir les constructions de l'esprit; derrière la perception, le concept reprenait l'importance essentielle du squelette sous les chairs qui le cachent mais qu'il soutient. Ils amorçaient mais ils n'autorisaient pas cette éviction du Réel par la Plastique, à quoi le cubisme et les tendances abstraites nous ont plus tard conviés.

De son côté, tempête jaillie du Nord, Van Gogh, loin de tout calcul, lançait ses forces sur la nature en déroute, la brassait comme la mer soulevée et labourée par le vent, comme la forêt tendue et cabrée par le cyclone; il la laissait telle qu'en la voyant ainsi bouleversée on l'oublie pour ne plus penser qu'au souffle qui l'a tordue. Là, le Réel cédait le pas à l'Expression, et un autre courant naissait qui menait au fauvisme et, précisément, à l'expressionnisme.

Ces deux poussées, vers la Plastique et vers l'Expression, qui vers 1885 se faisaient jour et qui allaient commander tout le développement de l'art moderne, Gauguin, alors, les assumait toutes deux, avec une audace tranchée, qu'entravait seulement le souci atavique de ménager, sinon de laisser intact le réel. Lui, il renonce à l'objectivité, à quoi s'astreignait la peinture, et, ce faisant, il rompt délibérément avec six siècles de tradition occidentale. Il revendique le droit à la subjectivité totale, ne gardant de la nature que ce qu'il faut de « matériau » pour y mettre l'empreinte de la pensée et de la sensibilité.

Il fait plus: par un coup double, il trouve dans cette subjectivité le point de fusion possible entre l'effort plastique et l'effort expressif qui se partageront l'art moderne et parfois le tirailleront contradictoirement. C'est qu'à l'un comme à l'autre il propose la même issue: l'affirmation et la personnalité de la ligne et de la couleur.

Moins emporté que d'autres peut-être par la génie, il est d'autant plus lucide, chercheur et volontaire. « Avec beaucoup d'orgueil, confiait-il dans le texte destiné à sa fille préférée Aline, j'ai fini par avoir beaucoup d'énergie et j'ai voulu vouloir ». Sa force intelligente et tenace l'emporte encore au delà, lui ouvre des voies nouvelles, où, seul en son temps, Redon s'engageait aussi. Plus loin que la plastique, plus loin que l'expression des sentiments connus, il pressent les terres englouties de l'âme, leurs puissances intactes où une civilisation vieillissante et raffinée pourrait se retremper. Odilon Redon disait: « Tout se fait par la soumission docile à la venue de l'inconscient ». Gauguin aussi sera fasciné par l'indicible, par le problème de son langage; il essaiera de découvrir comment cet indicible on peut le suggérer, faute de l'expliquer, comment tout ce qui parle aux sens: ligne, couleur, image, parle en même temps à l'âme et a pour elle un sens mystérieux qui échappe à la raison, à la logique et les dépasse. Par là, comme Redon, il anticipe sur les ultimes développements de l'art moderne et il entr'ouvre la porte au surréalisme. (Le

Pissarro: Portrait de Paul Gauguin; Gauguin: Portrait de Camille Pissarro, 1883.
Dessin. Coll. Paul-Emile Pissarro, Paris.

titre du mouvement Dada n'aurait-il pas été suggéré par le retour au « dada de notre enfance »,
qu'invoquait Gauguin, plus vraisemblablement que par un hasard prétendu du Larousse?).

Mais, par delà les écoles, qui ont entrepris l'exploration systématique de l'inconscient, dont,
parmi les premiers, il souligna la présence et l'importance, Gauguin prépara peut-être d'autres
prolongements encore: s'il n'ignorait rien des ressources plastiques et émotives, à quoi l'art moderne
s'est à la fois voué et borné, s'il offrait à la peinture toutes les recherches de l'esthétique, il ne
commettait pas l'erreur de l'y réduire; il sentait qu'elle peut et doit exprimer la totalité de la vie
intérieure, qu'elle ne peut se limiter ni aux sensations, ni aux idées, ni aux émotions, mais qu'elle
engage l'âme et sa mystérieuse complexité; nul plus que lui n'a mis l'art au service de cette âme,
qui de toutes parts déborde les limites de la conscience. Peut-être, plus loin que les délectations
esthétiques où nous nous sommes complu ces dernières années et qu'il savait alimenter autant
que nul autre, Gauguin a-t-il montré la nécessité et la manière de les dépasser. Jamais il n'a
oublié la loi de poésie, qui prime toutes les autres et qui exige que, redoutant le « jeu stérile »,
en chaque tentative on engage et on satisfasse sa totale humanité.

Mais si tel est le résultat de la lutte poursuivie par Gauguin et telle la vaste dette que le
XXᵉ siècle a contractée envers lui, encore n'a-t-il pas mis à jour tant de richesses sans un
incessant et dur effort, sans une progressive conquête. Tempérament lourd, puissant et lent, que

JARDIN SOUS LA NEIGE. 1883. Ny Carlsberg Glyptotek, Copenhague.

PAYSANNES BRETONNES. 1886. Bayerische Staatsgalerie, Munich.

AUTOUR DES HUTTES.
1887. Martinique.
Collection Mr. et Mrs.
William Lee McKim,
Palm Beach, Floride,
U.S.A.

Les Cigales et les Fourmis. Souvenir de la Martinique. c. 1889. Zincographie.

secoue à l'occasion la fièvre, mais qui s'appuie surtout sur la force, Gauguin ne s'est réalisé que par une obstinée patience. Cette énergie, orgueilleuse et tenace, fut sa fierté et son soutien au milieu de sa vie difficile, parfois accablée. La conscience qu'il en eut toujours l'a galvanisé, l'a dirigé, l'a prémuni contre le désespoir. « Les conditions dans lesquelles je travaille sont défavorables », pouvait-il écrire à sa femme, qui fut à son égard un prodige d'incompréhension spirituelle, « et il faut être un colosse pour faire ce que je fais dans ces conditions ». Jusqu'à sa mort, il a mené une dure campagne pour obtenir de la vie et de lui-même sa personnalité et son art. « J'ai voulu vouloir ».

Pastorale Martiniquaise. c. 1889. Lithographie.

LA DURE ET LENTE VOCATION

Il lui a fallu tout mériter, tout s'assurer par résolution et par force, jusqu'à sa vocation de peintre. Alors que ses rivaux de gloire ont su et voulu être artistes dès l'origine, Gauguin ne se découvrit que lentement. La mer l'attire d'abord et on le trouve pilotin, puis matelot de 1865 à 1871. En quête d'une situation, le voici qui entre alors comme remisier chez un agent de change; au cours de onze années, il acquerra dans ce métier financier une large aisance qui lui permettra même de se constituer une collection d'impressionnistes. Un jour, le monstre dévorateur de la peinture fait apparition dans son existence.

On s'est plu, par goût de romancer les vies illustres, à voir dans cette conversion une crise brutale, une sorte de coup de foudre et de coup de tête, ou, comme l'a dit Somerset Maugham, « d'envoûte », qui l'arrachait à sa situation établie, à son foyer, à ses devoirs familiaux pour le jeter dans l'aventure de la création. Rien de tel, semble-t-il. Gauguin, nous le savons déjà, est une force lente, taciturne, qui rêve, certes, mais qui s'emploie tout entière à matérialiser ses rêves. Toute sa vie est faite de cette course obstinée au mirage et de ses déceptions renouvelées, sauf en art. Il faudrait plus de place pour analyser pas à pas la transmutation qui, du boursier cossu et bourgeois, fera l'artiste entier, absolu, réfugié en plein Pacifique pour y mener, les reins ceints d'un pareo, l'existence primitive des maoris. Point de cassure, point de sursaut, mais un glissement progressif et têtu.

Une Danoise rencontrée à Paris, Mette Gaad, droite, mais pratique, bornée, pétrie d'usages, l'épouse en 1873. Il en a cinq enfants en dix ans. Cependant la peinture s'infiltre: il avait appris à l'aimer, tout jeune, chez son tuteur, le collectionneur Gustave Arosa; fréquentations d'artistes, de Pissarro surtout, reçu au foyer, collection, essais d'amateur le dimanche, début au Salon en 1876 le poussent vers la vocation qui le dévorera.

En 1880 il loue un atelier, rue Carcel, et il s'incorpore dans le groupe impressionniste; on le voit à la cinquième exposition; on le retrouvera trois années de suite, et la critique, Huysmans en particulier, va s'intéresser à lui. En 1883, c'est la cassure; les événements se précipitent: abandonnant la Banque, par une décision qui ne semble pas avoir été aussi libre qu'on l'a prétendu longtemps, car la crise financière entraînait bien des licenciements, il ne sera plus que le peintre. La vie devient difficile; Mette supporte mal des sacrifices dont elle ne voit pas la portée et lorsque, à la fin de 1884, Gauguin arrive au Danemark avec femme et enfants, le belle-famille lui fait grise mine. On a souvent montré l'artiste abandonnant les siens pour ne plus écouter que sa vocation. Là, encore, comme pour le renoncement à la carrière financière, la vérité est plus nuancée: la correspondance de Gauguin et de Mette, après leur séparation, apporte de multiples preuves, que je ne puis, faute de place, détailler ici, de la pression qui fut exercée sur Gauguin pour le contraindre au départ. Se serait-il senti le droit d'écrire des phrases comme celles-ci, plus tard: « Maintenant que ta soeur a réussi à me faire partir... Ton frère prétendait que j'étais de trop... Le coup que l'on m'a porté était rude... Je suis chassé de ma maison... Ne t'inquiète pas du pardon de tes fautes... Malgré tout le mal que vous m'avez fait et que je n'oublierai pas... » et, un jour, le 3 avril 1887: « Je n'ai plus aujourd'hui aucun ressentiment contre toi... »?

Ce qui frappe, il faut bien le dire, dans les débuts de Gauguin, c'est l'absence d'une puissance créatrice spontanée et sûre d'elle-même. Il n'apparaît pas agité par un démon intérieur réclamant son expression et contraignant l'artiste de lui trouver à tout prix son langage. On perçoit bien plutôt la patiente application d'un homme qui pressent la grandeur future de sa réussite mais qui ignore encore sa nature et le chemin pour y parvenir.

Gauguin veut être un grand peintre; il en sent la possibilité en lui, mais indéterminée; il ambitionne son art; il marche vers lui comme l'explorateur traverse des terres arides pour voir un jour éclore à l'horizon la cité promise; mais cet art n'est pas là, il ne lui travaille pas le coeur et les entrailles pour percer seulement l'obstacle de l'inexprimé.

Même au retour d'Arles, au moment où l'hypothèque impressionniste est complètement levée, et où le visage définitif de Gauguin se révèle déjà dans ses œuvres d'alors, lui hésite encore. Dans une lettre que son destinataire, Emile Bernard, date d'Arles 1889 et qui est manifestement écrite au Pouldu cette même année (1), Gauguin dévoile son incertitude: « J'entrevois dans tout le fond de moi-même un sens plus élevé; que j'ai tâtonné cette année! Mon Dieu (je me disais) j'ai peut-être tort et ils ont raison, c'est pourquoi j'ai écrit à Schuff [Schuffenecker] de vous demander votre opinion pour me guider un peu au milieu de mon trouble ». Entrevoir, tâtonner, me guider, mon trouble... tous ces termes sont bien expressifs, mais une autre lettre du Pouldu, datée par Bernard de 1890 et que divers recoupements semblent placer à la fin de l'automne 1889, ajoute: « Je suis dans un marasme épouvantable de tristesse, et dans des travaux qui demandent un certain temps pour aboutir, et j'éprouve le plaisir non d'aller plus loin dans ce que j'ai préparé autrefois, mais de *trouver quelque chose de plus. Je le sens et ne l'exprime pas*

---

(1) Il convient d'accueillir avec la plus grande circonspection l'ordre, l'origine, la date des *Lettres* publiées par E. Bernard; sa mémoire ne cesse de l'égarer et il est indispensable de contrôler cette source avant de l'utiliser. C'est ainsi qu'il situe une série de lettres en « 1889, Arles », alors que Gauguin quitta la ville à la fin de 1888.

Tête de Bretonne. 1884. Ancienne collection Durrion.

encore (1). Dans ces conditions mes études de *tâtonnement* ne donnent qu'un résultat très maladroit et ignorant... Ce que je désire, c'est un coin de moi-même encore inconnu ». Appliqué et patient, il explore méthodiquement les possibilités d'une sensibilité à la richesse profonde mais réceptive.

***

Tel il se montrait déjà aux environs de 1875. Il peut être révélateur de suivre le développement de son art après celui de sa carrière. A ses débuts, il se façonne un métier; il l'emprunte à l'exemple des impressionnistes, qu'il collectionne, à celui de Pissarro, qu'il fréquente, puis dont il fait son maître. Attitude d'abord toute passive, quoique son obstination laisse présager une germination future: il accepte le programme de l'école nouvelle qui, malgré des contradictions aiguës de forme, correspondait aux convictions de la société bourgeoise, en cette fin du XIXᵉ

(1) Les mots en italique sont soulignés par nous.

16

Le Gardien de porcs. Pont-Aven. 1888. Collection Norton Simon, Los Angeles, Californie, U.S.A.

La Vision après le sermon (Lutte de Jacob avec l'ange). Pont-Aven. 1888.
National Gallery of Scotland, Edimbourg.

18

Le Christ dans le jardin de Gethsémani (autoportrait).
Norton Gallery of Art, West Palm Beach, Floride, U.S.A.

Portrait de Madeleine Bernard. Pont-Aven. 1888. Musée de Grenoble.

Les Aliscamps. 1888. ▷
Arles. Musée du Louvre.

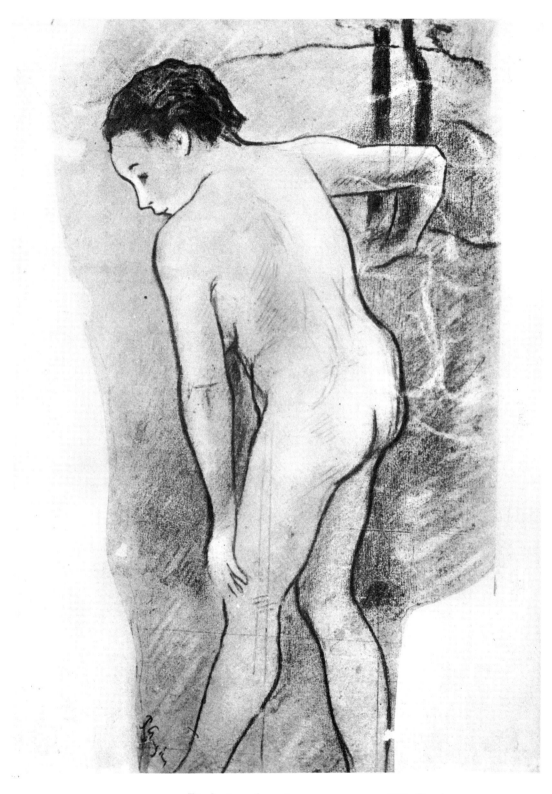

Etude pour les « Jeunes garçons ». 1888. Dessin.

◁ La belle Angèle. Pont-Aven. 1889. Musée du Louvre.

siècle: l'art est imitation, reproduction du réel. On ne se battait, en fait, que sur la divergence des moyens traditionnels ou novateurs. Gauguin opte pour ceux-ci, mais non pas pour les plus audacieux ; sa couleur reste dans la gamme modérée, sobre, qui, de Bonvin et de Fantin à Cazin et à Bastien-Lepage, semble prolonger la leçon du réalisme grave de Millet, qu'admirait tant Pissarro. Certaines toiles de l'ami et protégé de celui-ci, Guillaumin, ne sont pas sans analogie avec les colorations de Gauguin, qui le connut dès avant de partir au Danemark ; il se sentit, sans doute, des affinités avec cet homme qui, tout en peignant, restait attaché à une situation d'employé.

La peinture de Gauguin, bornée aux tonalités grises ou brunes, qu'éclairent à peine quelque bleu dense ou quelque vert glauque, évoque un humus gras et compact, futur nourricier des graines qu'y déposeront l'intelligence exigeante et la volonté, un humus et non pas une substance vive comme l'eau ou la flamme... Van Gogh, il est vrai, dans ses premières œuvres, ne pétrissait-il pas une glaise encore plus obscure ? A coup sûr, mais sa main fébrile y portait des convulsions impatientes, qu'ignore cette matière ici dormante.

Ce long stage dans la tristesse pensive les promet, d'ailleurs, l'un et l'autre, à des révélations intérieures qui resteront fermées aux impressionnistes. Et cette tristesse, sans doute est-ce elle qui, bien plus qu'un calcul d'économie, venu seulement ajouter son poids, le dirigera, comme les Nubiens, les Cottet, les Dauchez, les Lucien Simon, vers la Bretagne granitique, résignée, solitaire et morose, où il effectuera son premier séjour, en 1886. Les impressionnistes s'accordaient bien mieux avec les pimpantes guinguettes de banlieue et les régates animées d'Argenteuil...

Aussi Gauguin n'était-il attiré que par certains d'entre eux : les maîtres qui lui avaient donné le goût de la peinture, quand il les admirait sur les murs de Gustave Arosa, son tuteur (1), — Millet, Courbet, Corot, Pissarro — le prédisposaient à préférer aux impressionnistes d'éclat, aux Monet et aux Renoir, avec qui il ne s'entendit guère (le *Moulin de la Galette* est de 1876 !), les impressionnistes de gravité et de solidité : après Pissarro (au Salon de 1880 encore Huysmans ne voit en Gauguin qu' « une dilution des œuvres encore incertaines de Pissarro »), Cézanne le marqua profondément, au point de pouvoir lui reprocher plus tard le vol de sa « petite sensation » ; or, si Gauguin devait le connaître en 1881 à Pontoise, où Pissarro l'avait attiré, ce qu'il avait pu voir de lui en 1875, c'étaient des œuvres sobres de couleur et fortement maçonnées comme *la Maison du Pendu*, à la première exposition impressionniste. Enfin Degas, qui le patronnait, ne le détournait pas de cette manière solide et triste. Quel contraste entre la *Seine au Pont d'Iéna*, peinte par Gauguin en 1875, son hiver bouché, étouffé et la rivière tressautante de lumière que les Monet, les Renoir, les Sisley (et Manet lui-même), découvraient déjà à Argenteuil. C'est en 1875 que *Paris-Journal*, à propos de la vente impressionniste du 24 mars, parlait « des campagnes violettes, des fleurs rouges, des rivières noires, des femmes jaunes ou vertes et des enfants bleus ». Cela est bien loin de la vision que proposait alors Gauguin... Aux Indépendants de 1881 et de 1882, Huysmans soulignera, devant la *Femme nue cousant*, son naturalisme tendu, à la Degas (« Aucun n'a encore donné une note aussi véhémente dans le réel »), mais, devant son *Intérieur d'Atelier*, sa gamme terreuse, sa « couleur teigneuse et sourde ». Et même en 1886, même à la huitième et dernière exposition impressionniste, l'oeil aigu de Fénéon ne pourra qu'être frappé par son « harmonie sourde ». Qu'il évoque avec insistance ce caractère lourd, presque glébeux : « Des arbres denses jaillissent des terrains gras, plantureux et humides » !

---

(1) C'est lui, qui l'avait fait entrer chez l'agent de change Bertin.

Têtes de Bretonnes, dédiées au peintre Maufra. c. 1889. Pastel.
Collection M. et Mme Emile Maufra, Levallois-Perret.

NAISSANCE D'UN ART NOUVEAU

C'est alors, vers 1885, que commencent la grande aventure, la misère, le nomadisme, la lente conquête du génie. Dès cette année 85, dès le séjour au Danemark, alors qu'il essaie encore de faire vivre les siens par un commerce de bâches, alors que sa peinture se débat toujours dans les limbes d'un impressionnisme sourd, il conçoit déjà, avec une parfaite lucidité, un art auquel il ne donnera forme que quelques années plus tard. Sa lettre à Schuffenecker, du 14 janvier 1885, comme nous le verrons plus loin, en fait foi. Notons-le donc: Gauguin n'est pas le jouet d'irrésistibles impulsions venues des profondeurs de l'être sensible; la création, chez lui, est conséquence de la pensée.

D'ailleurs, sa carrière de peintre, c'est-à-dire le cycle de ses évasions, commence vraiment alors: en 1886, c'est le premier séjour en Bretagne, à la fameuse pension Gloanec de Pont-Aven, l'ébauche de ses amitiés d'artiste avec Emile Bernard et Van Gogh, connus l'un dans le Finistère et l'autre à Paris. En 1887, c'est la première randonnée au delà des mers, en compagnie de Laval, la première expérience exotique : Panama, la Martinique, et le retour à Paris en décembre. En 1888, c'est le second séjour à Pont-Aven. De la nouvelle et décisive rencontre avec le jeune Emile Bernard sort la doctrine d'une peinture nouvelle, en même temps que Gauguin se voit promu au rang de personnalité marquante, voire de chef de groupe. Sa première exposition particulière a lieu à la galerie Boussod-Valadon, où travaille le frère de Van Gogh, Théo ; les jeunes commencent à voir en lui le maître du symbolisme pictural et un centre de ralliement. En octobre de cette même année 1888, Gauguin se rend en Arles, à l'appel de Van Gogh, pour tenter de fonder cette communauté d'artistes que le Hollandais rêvait de créer depuis longtemps, afin de modifier les conditions matérielles, mais aussi morales de l'art, « un atelier de renaissance et non de décadence », comme, à la veille de la venue de son ami, il l'écrivait à Théo. « S'associant ainsi, nous serons chacun de nous davantage soi et l'union fera la force ». Gauguin arrive vers le 20 octobre ; le 25 décembre, toutes les espérances sont dissipées, les projets anéantis. Il y a eu le drame maintes fois narré, l'attentat manqué de Van Gogh, l'oreille coupée... Gauguin a fui, sans le revoir, son tumultueux compagnon qui en gardera toujours une amertume ; à l'extrême fin de 1888, il est rentré à Paris, pour y faire de plus en plus figure d'annonciateur d'une esthétique nouvelle, surtout après l'exposition tenue au Café Volpini, à l'occasion de l'Exposition Universelle. Avril 1889 le revoit à Pont-Aven ; mais dès octobre il préfère s'installer au Pouldu, plus solitaire, à l'auberge de Mlle Henry et, coup sur coup, des oeuvres telles que le *Christ jaune*, le *Calvaire breton*, la *Belle Angèle*, etc... révèlent enfin la pleine possession de son art ; vision, plastique, technique sont déterminées avec une égale autorité. Après un séjour à Paris, de décembre 1890 au printemps 1891, où il fut fêté au dîner du Café Voltaire, Gauguin pourra prendre, le 4 Avril, le chemin de Tahiti, ouvrant la phase finale de douze années où s'accompliront son destin et son œuvre.

***

Déjà, en ces quelques années, Gauguin était sorti de sa première phase d'observation presque passive ; il avait dégagé peu à peu la conscience des moyens plastiques. Ses formes garderont quelque chose de ce ramassé et de cette puissance glaiseuse qu'il avait, à l'origine, empruntés à Pissarro et à Millet. Mais Cézanne, cet autre taciturne, avait contribué, par son exemple, à libérer sa touche ; Gauguin la voulut désormais serrée, monotone, posée en hachures parallèles et comme obstinées ; ce métier arbitraire l'aida déjà à marquer ses distances avec la réalité littérale, à prendre conscience de l'indépendance picturale. Bientôt, sa ligne à son tour s'affranchit : elle se prolonge, se déroule, se fait continue, autonome, devient cerne. La fermeté des arbres, du dessin des branches, des troncs l'y aide, et aussi l'exemple, là encore, de Cézanne. Mais c'est bien davantage Puvis de Chavannes et les estampes japonaises qui agissent sur lui ; celles-ci surtout lui fournirent le modèle d'un art sollicité par le décoratif et qui, respectueux du plan où s'établit l'image, renonce à le trouer de fausses profondeurs, de faux modelés, préférant y déployer la ligne et y étendre les plages colorées. Gauguin refuse, lui aussi, de les sacrifier à l'imitation et au trompe-l'œil ; il doit, en compensation, accroître leur pouvoir suggestif. Du trait, il ne développe donc pas seulement les possibilités d'arabesque mais aussi d'équivalence expressive. Ainsi Gauguin s'annonce précurseur de Lautrec, qui, à son tour, demandera à Puvis et aux Japonais les secrets de ce double aspect de la ligne.

Il est toujours révélateur d'examiner le décor dont un peintre aime obséder ses yeux : au mur de l'atelier du Pouldu, Seguin nous l'a dit, Gauguin avait accroché des reproductions. Or, toutes reflétaient cette préoccupation de dégager la continuité et l'harmonie du dessin. Il y avait là l'*Olympia* de Manet (qu'on se rappelle la boutade fameuse sur sa peinture de « cartes à jouer » et la part qu'il donna au cerne), les Italiens les plus souplement graphiques : l'*Annonciation* de l'Angelico, le *Printemps* de Botticelli, mais encore des décorations de Puvis et des estampes d'Outamaro... Puvis, il l'a connu, il a conversé avec lui ; en 1898, il le met encore sur la liste

Tête de paysanne - Dessin, Fogg Art Museum

« L'Arlésienne ». 1888. Dessin, Collection P. E. Hanley, Bradford Pa. USA.

des quelques grands artistes qu'il veut convier à son exposition; et, la même année, il copie son *Espérance* au fond d'une nature morte. Quant au Japon, il en parle souvent, aussi; de même que la plupart des impressionnistes, il a introduit ses estampes dans certaines toiles, dans le portrait de la famille Schuffenecker, par exemple.

L'estampe japonaise, sinon Puvis, l'incitait à la couleur, à ses éclats, à ses à-plats. Lors de sa première tentative d'exotisme, quand, fuyant la misère, poursuivant l'inconnu, il était parti en 1887 à la Martinique, parmi d'amères déceptions, il avait du moins découvert la densité des tons sous des cieux plus lumineux. Sa couleur sera désormais de plus en plus résolue, intense, violente — jamais légère, ni papillotante. Son fond de gravité continue à le séparer des vivacités impressionnistes.

Qu'il revienne en Bretagne pour son second séjour de 1888, et son esthétique nouvelle s'affirmera, s'affichera, provoquera volontiers. La Nature, définitivement asservie, n'élève plus la voix; docilement, elle se soumet à l'impérieuse transmutation qui la contraint, chassée de son domaine à trois dimensions, à se plier aux deux dimensions de la toile plane, où la ligne et l'étendue colorée peuvent désormais vivre selon leur propre loi. Gauguin le sait: « Je ne suis pas peintre d'après nature », écrira-t-il en 1900 à Emmanuel Bibesco, « aujourd'hui moins qu'avant », et la même année, dans un article célèbre de l'*Occident*, le porte-parole de la nouvelle génération, Maurice Denis, pourra reconnaître qu'aux heures de Pont-Aven « il nous libérait de toutes les entraves que l'idée de copier [la nature] apportait à nos instincts de peintre ». De ce jour, l'esthétique moderne, toutes ses audaces, toutes ses possibilités étaient nées.

Mais Gauguin est-il le véritable auteur de cette révolution?

Emile Bernard n'a cessé d'élever ses protestations, ses revendications, dont jusqu'au dernier jour Gauguin gardera, d'ailleurs, l'amère rancune. Quel fut l'initiateur, Gauguin ou Bernard? Qui a inventé la synthèse, que Gauguin, ennemi des théories, écrivait « Saintaise, parce que cela rimait avec foutaise (1) »? Les historiens ont longuement discuté, avec des conclusions différentes. Il est certain que, dès avant de rencontrer Bernard, « le petit Bernard » qui n'avait que vingt-quatre ans et que, lui, accueillit en posture de maître, entouré déjà de disciples, Gauguin allait d'une marche inéluctable vers l'affirmation des pouvoirs de la ligne et de la couleur, libérées des contraintes de la nature; il est certain aussi que la nouvelle doctrine n'apportait rien qui ne fût déjà réalisé par l'estampe japonaise, dont Gauguin était féru; il est certain encore que, dès le début de 1885, dans sa lettre à Schuffenecker du 14 janvier, Gauguin exposait la théorie des pouvoirs symboliquement expressifs de la ligne et de la couleur, ce qui présuppose la conscience de leur libre utilisation; mais il est certain, d'autre part, que la psychologie fermée et rêveuse de Gauguin se déploie toujours progressivement, en s'appuyant sur le soutien qu'elle trouve dans les événements extérieurs; il n'a ni l'esprit dogmatique, ni l'assurance catégorique que Bernard développera plus tard et qui le pousseront vers des reniements et des positions résolues et extrêmes.

Qu'est-ce, au demeurant, qu'une influence pour le grand homme, sinon la révélation d'une forme où peut s'inscrire ce qu'il portait déjà en lui et dont il cherchait l'expression? Gauguin savait bien que Bernard ne lui avait rien apporté qu'il ne possédât et dont il ne fût déjà préoccupé; Bernard, de son côté, pouvait constater que, tel jour, à telle heure, il avait proposé à Gauguin un « système » de peindre, où ces aspirations avaient soudain trouvé vêtement à leur taille. La dispute est vaine: Bernard n'a pas transformé la destinée picturale de Gauguin; mais il lui a fourni la syntaxe dont son verbe avait besoin; seul compte, en définitive, ce qu'avec elle Gauguin a su nous transmettre.

---

(1) Gauguin, si sensible à la pensée, se méfiait des théories et des moules factices qu'elles imposent à la libre création. Tout « symboliste » qu'il fût, sur le plan profond, il se moquait du mouvement et de son dogmatisme. Monfreid a raconté avec quel sourire malin il approuvait Verlaine ironisant, au café Voltaire: « Hé! Zut! ils m'embêtent, les cymbalistes! ».

Etude pour l'Eveil du printemps. Début 1891. Dessin.

LA DOCTRINE SYMBOLISTE

Au surplus, Gauguin savait à quoi il tendait depuis 1885 au moins, depuis ses lettres à Schuffenecker du 14 janvier et du 24 mai adressées du Danemark: alors qu'il s'engageait dans une phase d'incertitude picturale, il y formulait pourtant déjà le programme du symbolisme.

Ce programme, il en mesurait la nouveauté surprenante; il en était bouleversé. « Il me semble par moments, écrit-il dans la première de ces lettres, que je suis fou ». Et voici sa découverte:

La Couture. Pont-Aven. 1889. Collection Emil G. Bührle, Zürich.

31

Portrait de Paul Gauguin devant le Christ jaune et une de ses poteries. 1890.
Ancienne collection Maurice Denis.

▷

Le Calvaire, d'après celui de Braspard. Le Pouldu. 1889.
Musées royaux des Beaux-Arts de Belgique, Bruxelles.

32

NATURE MORTE AUX ORANGES. 1890. Collection Brown-Bovery, Baden, Suisse.

Nature morte au vase en forme de tête, et à l'estampe japonaise
Le Pouldu. 1889. Ittleson Collection, New York.

PAYSAGE DE BRETAGNE. 1889. Collection Emil G. Bührle, Zürich.

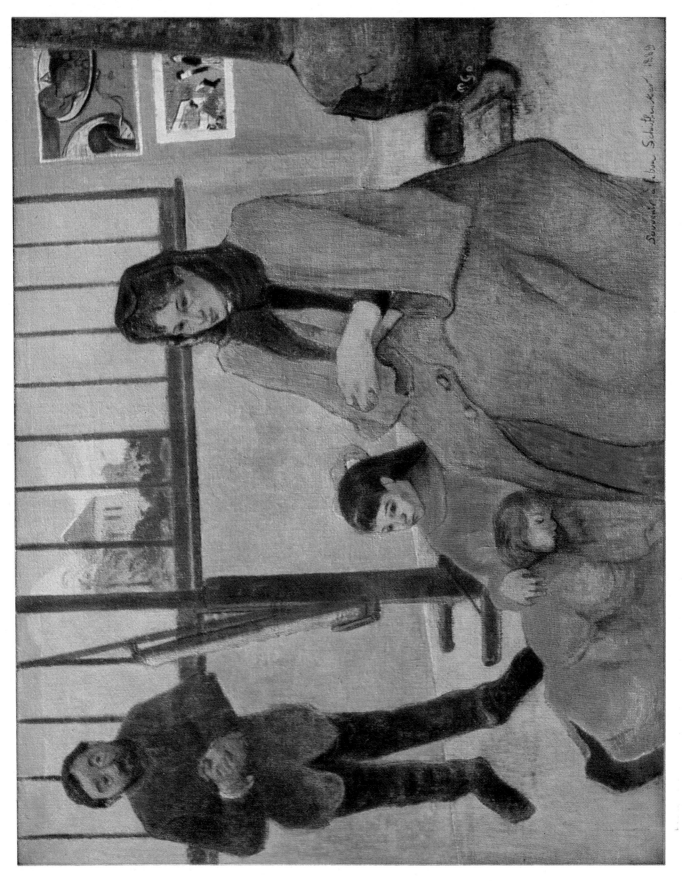

La Famille Schuffenecker. Paris. 1889. Ancienne collection Matsukata. Musée du Louvre.

les lignes et les couleurs n'ont pas seulement le pouvoir de reproduire ce que nous voyons, la réalité que nous présente la nature apparente, mais elles détiennent un pouvoir émotif qui peut communiquer au spectateur un état de l'âme. « Il y a des lignes nobles, menteuses, etc... La ligne droite donne l'infini, la courbe limite la création... Les couleurs sont encore plus explicatives... Il y a des tons nobles, d'autres communs, des harmonies tranquilles, consolantes, d'autres qui vous excitent à la hardiesse ». De même les formes. Dans un art orchestré, « c'est la partie la plus intime de l'homme qui se retrouve toute voilée ». Passage capital, car le symbolisme entier se trouve fondé, avant Emile Bernard, avant Aurier !

Est-ce donc Gauguin l'inventeur? N'allons pas si vite ! Il y a, en tout ceci, d'étranges rapports avec ce que pensaient et soutenaient Baudelaire et, avant lui, l'inspirateur de sa pensée artistique, Delacroix. Dans un de ses projets de préface pour les *Fleurs du Mal*, leur auteur montrait, semblablement, que la phrase poétique peut être suggestive, à la manière de « la ligne horizontale, la ligne droite ascendante, la ligne droite descendante, qu'elle peut monter à pic vers le ciel sans essoufflement, en descendre perpendiculairement vers l'enfer avec la vélocité de toute pesanteur » etc. Développant cette possibilité commune au verbe et à la plastique, il établissait dans la poésie et dans les arts une « possibilité d'exprimer toute sensation de suavité ou d'amertume, de béatitude ou d'horreur ». Dans les *Curiosités Esthétiques*, il avait d'ailleurs perçu que l'œuvre de Delacroix usait de ce don mystérieux: « Les admirables accords de sa couleur font souvent rêver d'harmonie et de mélodie ». Mais, de même, Gauguin écrit, continuant sa lettre: « Un grand sentiment peut-être traduit immédiatement, rêvez dessus et cherchez en la forme la plus simple »; s'attachant à cette qualité affective des formes, il spécifie bien, lui aussi, que cela est de l'ordre de la « sensation. Tout est là, dans ce mot »: la sensation « formulée bien avant la pensée » et qui, en dehors d'elle et par ses moyens propres, communique « les traductions les plus délicates et par suite les plus invisibles du cerveau... tous les sentiments humains ». Partout, d'ailleurs, où la pensée de Delacroix a porté sa marque, on constaterait l'éclosion des mêmes idées, en Odilon Redon, en Gustave Moreau, qui disait semblablement: « L'évocation de la pensée par l'arabesque et les moyens plastiques, voilà mon but ».

De son côté, Gauguin poursuit sa réflexion, et, le 24 mai, il en précise les conséquences pour l'art, tout d'abord, l'opposition désormais avec le réalisme, qui jusque-là semblait sa fonction principale: « Rien que de la peinture, pas de trompe-l'œil ». Le dessin n'a donc plus tant à reproduire le réel qu'à manifester le message dont l'œuvre est porteuse: « Le trait... est un moyen d'accentuer l'idée ». Il est frappant de voir aboutir la pensée de Gauguin à celle de Maurice Denis, qui, dans *Théories* la formule ainsi: « Ne plus reproduire la nature et la vie par des à-peu-près et des trompe-l'œil improvisés, mais au contraire reproduire nos émotions et nos rêves en les représentant par des formes et des couleurs harmonieuses, c'était là, je persiste à le croire, une position nouvelle ».

Ainsi, dès le début de 1885, c'est Gauguin qui transfère le motif de l'art des apparences visibles de la nature à « l'idée ». Il faudra encore trois ans pour qu'Albert Aurier énonce, dans le *Mercure de France*, que, désormais, « l'œuvre d'art sera idéiste, puisque son idéal unique sera l'expression de l'Idée ».

Quoi qu'il en soit de cette querelle de priorité, qui a été parfois menée avec une certaine âpreté, la conception nouvelle de l'art devait s'affirmer dans les pensées comme dans les œuvres durant ces quelques années qui précédèrent 1890.

En 1886, Paris avait vu arriver, en ses premiers mois, Van Gogh qui d'emblée avait jailli du cocon de sa première manière et la Bretagne, Gauguin, qui s'était installé à Pont-Aven, s'y était libéré des influences subies à ses débuts, avait créé le « Synthétisme ». Cinq ans plus tard, dans l'enceinte de l'Exposition universelle de 1889, au café Volpini, le public devait avoir la révélation de l'école nouvelle, qui s'était constituée autour de Gauguin et qui réfutait définitivement l'impressionnisme, en prenait le contre-pied et tendait la main au mouvement parallèle du Symbolisme littéraire. 1884-1889, cinq années ! Des Indépendants au café Volpini — un renversement s'était accompli.

La même révolution, le même besoin de rupture avec le passé, d'évasion des traditions, s'accomplissaient en littérature, au même moment: en 1885, René Ghil, amorçant la bataille,

Portrait de Mallarmé au corbeau. 1891. Unique eau-forte de l'artiste.
Le corbeau est emprunté à un dessin de Manet.

publiait son *Traité du verbe*; il fondait l'année suivante l'Ecole symbolique et humaniste, alors que Moréas donnait au *Figaro* son manifeste sur le symbolisme. Simultanément convergeaient les influences favorables; c'est en 1884 que E. M. de Voguë fit connaître le roman russe, en 1885 que parut la *Revue Wagnérienne*. La prolifération des revues anti-naturistes se situe dans la même période: en 1884, la subversive *Revue Indépendante* et les *Taches d'encre* de Barrès; en 1886, la *Pléiade*, la *Vogue*, où apparaît Laforgue, le *Symbolisme* de Gustave Kahn et de Moréas, le *Décadent*, la *Décadence*; en 1889, l'année du café Volpini, apparaissent la *Plume* et le *Mercure de France*. C'est aussi le moment où Verlaine s'installe à Paris et révèle son *Art poétique*, où Mallarmé vient d'ouvrir son salon, où Huysmans publie *A rebours*, Laforgue ses *Complaintes*.....

Désormais, en quinze années, avec une énergie et un entêtement farouches, s'enfonçant dans la solitude, loin de notre civilisation, Gauguin va changer les bases traditionnelles de l'art, révéler des possibilités, qui se développent encore aujourd'hui; il va, au milieu des souffrances, de la misère et de l'adversité, faire tomber les liens qui l'enserrent, qui enserrent ses contemporains et apprendre la liberté à l'art qui vient. A la veille de 1900, il pressent ce qui s'accomplit: « Je crois que, malgré le grand nombre de fumistes et d'habiles, il y aura au commencement du siècle prochain une bien belle poussée d'art »; et, avec fierté, il établit déjà ce que cet art lui devra: « Le martyre est souvent nécessaire à toute révolution. Mon oeuvre, considérée comme résultat immédiat, ajoutait-il avec effacement, n'a que peu d'importance comparée au résultat définitif et moral: l'affranchissement de la peinture désormais dégagée de toutes ses entraves, de ce tissu infâme maillé par les écoles, les académies et surtout les médiocrités » (1).

(1) Au Dr Gouzer, 15 mars 1898.

Femme tahitienne. 1892. Dessin.

Tête de femme tahitienne. Galerie M. Knoedler - New York.

TAHITI
ET LA QUÊTE DES ORIGINES

Au printemps de 1891, Gauguin quittait Paris, renouvelant son aventure manquée de la Martinique, ce premier essai d'évasion d'un monde pourri par la civilisation. Cette fois, il avait décidé de partir plus loin, en quête du mirage des origines et de la pureté, jusqu'aux îles du Pacifique. « Le 8 juin, dans la nuit, a-t-il noté (1), après soixante-trois jours de traversée, soixante trois jours de fiévreuse attente, nous aperçûmes des feux bizarres qui évoluaient en zigzags sur la mer »; c'était Tahiti l'odorante, *Noa-Noa*; Tahiti terre délicieuse, *Nave Nave Fenua*. Mais la petite capitale provinciale Papeete, ne lui offrait que la dérisoire contrefaçon de cette civilisation qu'il rejetait et qui déjà, là-bas, l'avait précédé, « l'imitation, grotesque jusqu'à la caricature, de nos mœurs, modes, vices et ridicules civilisés... Avoir fait tant de chemin pour trouver cela, cela même que je fuyais ! ».

Alors, un matin, dans la voiture prêtée par un officier, Gauguin était parti et, à quarante-cinq kilomètres de la ville, il s'était établi dans le district de Mataïea. « D'un côté la mer, de l'autre la montagne... Entre la montagne et la mer s'élève une case, en bois de bourao... Entre le ciel et moi, rien, que le grand toit élevé, frêle, en feuilles de pandanus, où nichent les lézards ».

Bientôt, pourtant, la solitude pèse à Gauguin; il s'est fait des amis de ses voisins, mais:

« A l'ombre des pandanus
Tu sais qu'il est bon d'aimer ».

Et le voilà, un jour, qui part en quête à travers l'île; le voilà dans la montagne, dans les vallées; puis, sur un cheval prêté par un gendarme, il trotte vers la côte orientale. A Fanoé, on l'incite à descendre et à manger. « Tu cherches femme? Veux-tu ma fille? » lui dit la Maorie; un quart d'heure après elle revient avec « une grande enfant, élancée, vigoureuse ». C'était Tehura; « cette enfant, d'environ treize années (équivalent à 18 ou 20 ans d'Europe) me charmait et m'intimidait, m'effrayait presque ».

Tous deux rentrent à Mataïea. « Alors commença la vie pleinement heureuse ». Peu à peu, Tehura le conduit « à la pleine compréhension de sa race », par l'enseignement quotidien de la vie... « Par elle, je pénètre enfin bien des mystères qui jusqu'ici me restaient rebelles ».

Gauguin va faire une extraordinaire tentative pour dépouiller le vieil homme européen, pour rompre avec l'esthétique, l'inspiration et le style de sa civilisation en voie de sclérose, cette « civilisation mensongère et conventionnelle de l'Europe », pour remonter aux sources, où il espérait retrouver la vérité de l'homme. On est accoutumé à voir là le suprême effort d'évasion auquel peut mener l'individualisme exacerbé de notre temps, son désir de rupture avec les traditions acquises et passivement respectées, une tentative de libération et d'indépendance de la personnalité assoiffée d'affranchissement.

(1) Cette citation et les suivantes sont empruntées à *Noa-Noa*.

L'Esprit veille. Monotype.

Pape Moe (L'eau sacrée). Bois gravé.

PAPE MOE (L'EAU SACRÉE). Tahiti. 1891-93. ▷
Collection Emil G. Bührle, Zürich.

46

PAYSAGE DE TAHITI. 1891. The Minneapolis Institute of Art, Minneapolis, Minn., U.S.A.

FEMMES TAHITIENNES SE BAIGNANT. Vers 1892-93. Collection Robert E. Lehmann, New York.

50

I Raro Te Oriri (Sous les pandanus). Tahiti. 1891.
The Minneapolis Institute of Art, Minneapolis, Minnesota, U.S.A.

THE AA NO AREOIS (LE GERME DES AREOIS). Tahiti. 1892.
Collection William S. Paley, New York.

◁

VAHINE NOTE VI (FILLE AU MANGO). Tahiti. 1892.   53
Ancienne collection Degas, Baltimore Museum of Art (Collection Cone).

Femme tahitienne accroupie, 1892. Dessin au carreau. The Art Institute, Chicago.

◁
Nafea Foa Ipoipo (Quand te maries-tu?). Tahiti. 1892.
Collection Rudolph Staechelin (Prêt au Kunstmuseum de Bâle).

Manao Tupapau. L'Esprit des Morts veille. Bois gravé.

Il n'est pas certain que l'on voie juste. Par l'affirmation de plus en plus intransigeante des droits de sa conscience et de sa lucidité, donc de son indépendance, de son aptitude autonome à se concevoir et à se diriger lui-même, selon sa seule logique, l'homme moderne a peu à peu tranché tous ces liens profonds qui le liaient à cette collectivité. Il est un déraciné, non plus au sens barrésien de la terre, mais de l'humain. Et le malaise moderne, la crise de l'individualisme saturé, le retour instinctif à la passivité collective, ne sont peut-être que d'obscurs tâtonnements pour se ressaisir et se rebrancher sur le tronc d'où vient la seule sève. Et c'est cela, si l'on scrute bien sa démarche, que Gauguin a recherché d'instinct. La société moderne, civilisée, ne lui apparaît plus apte à remplir son rôle générateur et nourricier de l'individu; elle ne sait plus que provoquer le conflit avec lui; et Gauguin proclame le rejet des « chevaux du Parthénon » et le retour « au dada de mon enfance », au « bon cheval de bois »; il aspire à retrouver une humanité indemne, un sein non tari, dispensateur de l'aliment vital dont l'homme a peut-être été prématurément sevré.

Tout notre premier demi-siècle s'est acharné à ruiner le rationalisme au profit de « la soumission docile, à la venue de l'inconscient », comme disait Redon, à ébranler le libéralisme au profit du dirigisme, à restaurer les impératifs collectifs, fussent-ils aveugles, au détriment des libertés personnelles, à transformer résolument dans ce sens la structure sociale; ne marque-t-il pas ainsi la réaction et la fatalité d'un monde, entraîné par d'excessives expériences dans la voie de l'individualisme, à refluer, parfois avec excès, dans la direction inverse? Tout cela, Gauguin, si souvent précurseur, en est sourdement travaillé; et c'est pourquoi il pressent une sorte de santé morale dans ce que le civilisé méprisant appelle le *barbare* et le *sauvage*, une pureté originelle, un état plus sain et plus normal de la condition humaine. Il en est hanté; de là ses évasions successives en Bretagne, à la Martinique, à Tahiti, aux Iles Marquises, toujours plus loin.

56

Gauguin devait donc être le premier, avant Picasso et Derain, «découvreurs» de l'art nègre, à s'inspirer des peuples primitifs. En 1887, à la Martinique, il est encore fidèle au naturalisme plus ou moins impressionniste de ses débuts; il est visible qu'il ne subit aucune influence artistique locale. En Bretagne, en 1888, aidé par les affirmations doctrinales d'Émile Bernard, il saute le pas et renonce au scrupule réaliste; l'influence de l'estampe japonaise l'y aide puissamment; désormais le tableau est surtout un jeu de lignes et de couleurs *en un certain ordre assemblées*, selon l'expression célèbre de Maurice Denis. Mais ne va-t-il pas dériver vers le décoratif? C'est en 1889, à la fin de son séjour en Armorique, que les vieux calvaires bretons donnent à ce style en gestation, à côté de sa forme qui menace de déchoir dans le modern style, une âme: âme farouche, primitive, une présence du sacré et de son mystère ressuscités au sein du réalisme en décadence. Qu'on rapproche deux œuvres exécutées cette même année, *Le Petit Breton nu* et le *Calvaire*: l'ordonnance plastique, qui se dégageait déjà du naturalisme, est transfigurée, foudroyée par une solennité religieuse, un pressentiment des dieux inconnus, auprès de qui il va bientôt chercher les traces de l'âme primitive qu'il veut rénover en lui. Cette attirance du sacré éclate dans ses fonds de portraits, qu'il veut, conformément à la pensée symbolique dont Van Gogh s'inspire aussi, mettre en accord expressif avec le visage. En 1890, il dresse le *Christ Jaune* derrière sa propre effigie; autour de Meyer de Haan, il fait tourbillonner d'étranges figures d'angoisse et il intitule la toile: *Nirvana*. Christianisme et bouddhisme, auquel sa plume fera souvent allusion, ne sont pas seuls à le solliciter. Ce ne sont pas les dogmes qui l'attirent, mais le choc du sacré, dont notre temps a perdu le sens, jusque dans sa religion. Or le sacré pour lui est lié à une notion de puissance obscure, vierge et barbare. L'idole lui apporte ce que le Dieu ne lui donne plus.

En-tête du journal Le Sourire, 1899. Bois gravé.

Nave Nave Fenua
(Terre délicieuse).
Tahiti. Bois gravé.

Manao Tupapau, (L'Esprit des morts veille.) Paris, 1894.
Lithographie. Souvenir du tableau de 1892.

LES SOURCES BARBARES

Dès l'année précédente, dès 1888, à côté de la *Belle Angèle*, il a placé immobile et mystérieuse, la première de ses idoles. Quelle est-elle? Nul doute qu'il ne se soit inspiré de la céramique
anthropomorphe aux anses détachées, souvent en étrier, qu'on trouve au Nord du Pérou, dans
l'ère de l'art Chimu. Certains vases de la vallée de Chancay rappellent d'assez près ces formes.
Or il ne faut pas oublier que, de l'aveu même de Gauguin, il y avait « du sauvage » en lui: sa
grand-mère était la célèbre Flora Tristan, née au Pérou, fille de Don Mariano Tristan y Moscoso,
colonel espagnol en service à Lima, et nièce d'un vice-roi. Sa grand'tante se maria en Colombie,
à Bogota, et l'allia ainsi à la famille Uribe. « Il y a deux natures en moi », écrivait Gauguin à
sa femme, précisément en 1888, « l'Indien et la sensitive ». C'est l'étincelle de primitivisme qu'il
cherche à enflammer à nouveau, hors des cendres de son inconscient. A trois ans, en 1851, il
avait été amené au Pérou par son père qui mourut en cours de route, et il y vécut quatre années
avec sa mère et sa soeur. Ne peut-on imaginer l'impression profonde et terrifiante que dut faire
sur lui quelqu'un de ces vases mochica, rencontrés jusque dans l'intérieur familial, et comme
durent s'en alimenter ses interrogations et ses rêves d'enfant, germes de ceux de l'adulte? Une

Tahitienne. Etude. Galerie M. Knoedler - New York.

Etude. Tahiti. Monotype,

L'Homme à la hache. Tahiti. 1891. Collection Mr. et Mrs. Alex L. Lewyt, New York.

LA SIESTE. Tahiti. 1893.
Collection Mr. et Mrs. Ira Haupt, New York.

Te Arii Vahine, (Femme de race royale). c. 1896. Bois gravé.

obscure attirance, la magie du souvenir puéril le ramenèrent vers ces images étranges et double-
ment fascinantes pour lui. « Les Dieux d'autrefois se sont gardé un asile dans la mémoire des
femmes », a-t-il écrit un jour, mais aussi dans celle des enfants...

Il existe, au surplus, un témoignage précis de Gauguin, prouvant la connaissance qu'il
avait des vases péruviens. Dans *Avant et Après* il note: « Ma mère aussi avait conservé quelques
vases péruviens et surtout pas mal de figurines en argent massif tel qu'il sort de la mine. Le
tout a disparu dans l'incendie de Saint-Cloud, allumé par les Prussiens ». Il a donc grandi, vécu
jusqu'à l'âge de 23 ans au contact de ces étranges objets. Il en a retrouvé ailleurs, chez le « père
Maury », cet industriel français qui fit une fortune considérable à Lima en revendant, pour les
tombes du cimetière, les navets monumentaux que les sculpteurs italiens trop féconds ne pouvaient écouler. « J'ai revu à Paris, nous dit-il, ce tout vieux père Maury... Il possédait une très
belle collection de vases (céramique des Incas) et beaucoup de bijoux en or sans alliage faits par
les Indiens » (1).

En 1889, un événement va au-devant des curiosités encore imprécises de Gauguin. Auprès
de lui déjà l'*Esprit veille*, l'esprit des dieux barbares. Les vases péruviens, où il entre une part
de réalisme bonhomme, ne suffisent pas à lui prêter forme. Mais l'Exposition Universelle, qui devait révéler au public les nouvelles tendances *synthétistes* de Gauguin et de ses amis par la mani-
festation du Café Volpini, apporta au peintre un ensemble d'œuvres précolombiennes, surtout
mexicaines, principalement des moulages: il les étudia attentivement, prit plusieurs dessins. Il
s'y initia à certaine écriture décorative, dont l'art maya lui fournissait maint exemple et où les
droites, se rencontrant perpendiculairement, dessinent comme les fragments désorganisés d'une
grecque. Cette vision, sans rapport avec celle de l'Europe, le préparait à celle que Tahiti lui

(1) *Avant et Après.*

◁ L'Homme à la canne. Vers 1893. Petit Palais, Paris.

offrirait et qui n'est pas tellement éloignée; de même il est des traitements simplifiés de la face humaine, familiers en particulier à l'art zapotèque, qui lui enseignèrent certains schématismes, comme ceux où les yeux et la bouche sont indiqués par des sortes d'amandes coupées d'un trait horizontal.

Quand il débarqua à Tahiti en 1891, il avait donc déjà en mémoire, un répertoire de formes *barbares*. Qu'allait-il retrouver sur place? Là, point de métal pour fabriquer des outils, point de terre argileuse pour la céramique: le bois sculpté, l'étoffe peinte sont les seuls champs ouverts à la création artistique. De plus, le panthéon tahitien n'est guère anthropomorphe. Taaroa et les dieux issus de lui restent des symboles de l'univers, de la terre, du ciel... Aussi la Polynésie, avec sa religion déjà très élevée, n'éprouva guère le besoin de les représenter. A l'Ouest, à Samoa, à Tonga, seul règne le décor géométrique; dans la Polynésie orientale, depuis les Hawaïs jusqu'aux Iles de la Société, en passant par les Marquises, où ira mourir Gauguin, il existe des effigies de dieux; n'osant figurer toutefois le Dieu suprême, l'art se limite au *Tiki*, image stylisée du principe mâle et fertilisateur, qu'on trouvait aussi bien au manche d'un instrument de travail que dans la statue de pierre: si ces statues, à en croire la tradition, pouvaient atteindre près de 4 mètres de haut (à la manière des statues de l'Ile de Pâques) il n'existait déjà plus, au temps de Gauguin, que de petites statuettes. Moerenhout qui a laissé un ouvrage admirablement documenté sur les Iles du Pacifique, vers 1830, nous dit que les Atouas, rangés parmi les dieux supérieurs, avaient leurs images en pierre ou en bois, placées au sommet des Maraes, ces temples dont parle Gauguin.

Adam et Éve. Tahiti. Monotype.

A ces images, appelées *Toas*, s'ajoutaient celles des *Tiis*, dieux inférieurs, décrits aussi par Gauguin; on plaçait ces figures, plus soignées, à la limite du temple, comme pour en assurer la garde, de même qu'on les dressait face à la mer, sur le rivage. Telles apparaissent les grandes statues mystérieuses de l'Ile de Pâques dont on discute encore la signification, que semble expliquer clairement cet ancien usage tahitien. Gauguin en parle dans son *Ancien Culte Mahorie*, il note leurs dimensions considérables, et ·c'est, sans nul doute, cette information qui l'autorisa, s'inspirant des statuettes qu'il voyait, à les imaginer, agrandies et monumentales, dans ses tableaux, bien qu'il n'en ait trouvé sur place aucun exemple subsistant. Cette Idole énorme, monstrueuse et stupide, à la tête rentrée dans les épaules, aux mains croisées sur le ventre, qu'il a figurée dans mainte scène tahitienne, il ne l'a donc jamais vue; mais il a cru licite de la reconstituer en s'inspirant directement d'effigies, petites ou moyennes, telles qu'on peut en voir aujourd'hui au Musée de l'Homme.

Il y a donc beaucoup moins de fantaisie imaginative qu'on ne le pense d'ordinaire dans l'exotisme de Gauguin. Les stylisations bizarres de l'œil, de la main, etc..., qu'il pratique parfois, sont conformes à celles des Tikis. Ceux-ci, à force d'être utilisés pour l'ornement des objets les plus usuels, se réduisirent à des dessins géométriques. Ces dessins, nous avons la preuve que Gauguin les a étudiés de près: dans le manuscrit de *Noa-Noa* (1) on voit, collés, des morceaux de papier calque; ce sont des empreintes, obtenues par le frottement d'un crayon sur le papier appliqué contre la surface gravée en relief d'objets décorés; quelques rehauts d'aquarelle y ont été ajoutés ensuite. Qu'on les observe attentivement; on y reconnaîtra des éléments de Tikis: têtes ou silhouettes aux bras ramenés sur le ventre; on y trouvera aussi cette forme simplifiée que Gauguin donne, nous l'avons vu, aux mains des divinités.

Par contre, les étoffes représentées par lui échappent à toute ordonnance décorative; là encore Gauguin est exact. L'étoffe polynésienne (le *tapa*), obtenue par le pilonnage prolongé des fibres intérieures d'écorces à l'aide d'un maillet aux faces striées, montre des ornements beaucoup moins abstraits: il était, en effet, réalisé en pressant sur l'étoffe, pour y imprimer l'image, des plantes, des bruyères, parfois aussi des objets, trempés dans une teinture rouge ou jaune, extraite de l'écorce des arbres.

Pour concevoir ses dieux barbares, Gauguin ne s'est donc pas seulement inspiré de ses souvenirs pré-colombiens, qui lui ont servi d'introduction à l'art du Pacifique, mais il a étudié avec attention l'art polynésien dans ses figurations comme dans ses stylisations.

Lorsque, en août 1893, Gauguin, à bout de ressources et la santé délabrée, reviendra en France, il s'installera à Paris, dans un atelier, 4, rue Vercingétorix, avec Annah la Javanaise, une mulâtresse qu'il avait trouvée errant dans la rue et qui calmait sa nostalgie des terres lointaines et de leurs races. Or, au témoignage de son ami Paco Durrio, Gauguin avait orné sa nouvelle installation de nombreuses œuvres polynésiennes, ramenées par lui, en particulier d'idoles « taillées dans des bois inconnus de couleur rouge, orange ou noire » (2).

---

(1) *Noa-Noa* - pages 168 et 169.

(2) Cossio del Pomar, *La vida de Pablo Gauguin*. Catalogue de l'exposition rétrospective Gauguin, Association Paris-Amérique latine, Décembre 1926, Paris.

Menu illustré d'une caricature. Dindon, Commissaire et gendarme. Aquarelle.

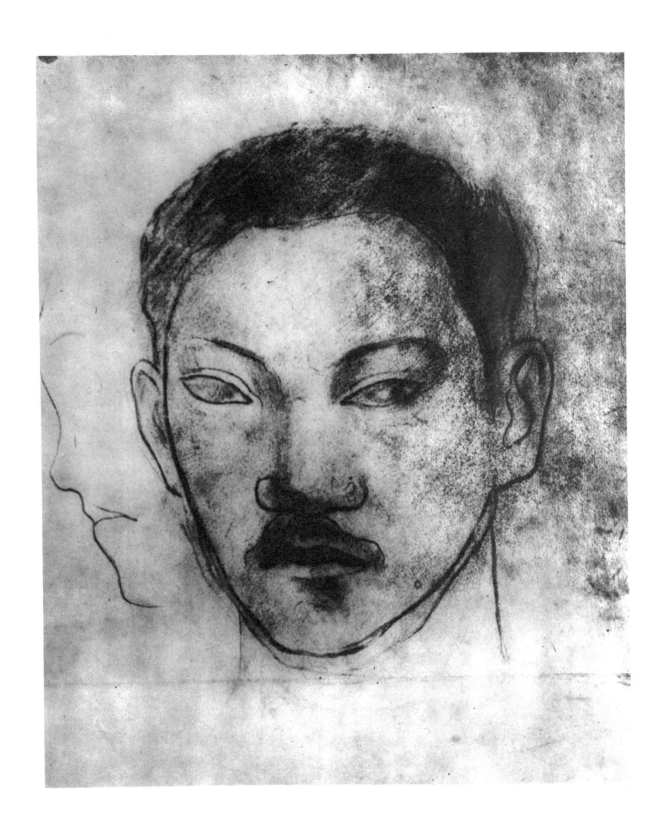

Tête de tahitien de face, avec esquisse d'un profil. Dessin.

LE DERNIER SEJOUR AUX ILES

Après avoir eu à Copenhague, au début de 1894, une ultime entrevue avec sa femme, après être retourné en Bretagne, dès avril suivant, à Pont-Aven, puis au Pouldu, emmenant Annah, et s'y être fait briser la cheville, au cours d'une stupide querelle dont elle avait été la cause, à Concarneau, Gauguin, de retour à Paris en décembre, décida de revenir à Tahiti. Après sa vente, désastreuse, du 18 février 1895, à l'Hôtel Drouot, il cinglait à nouveau vers l'Ile parfumée.

La décevante réalité l'attendait à nouveau là où il poursuivait ses rêves. Il fallut un peu plus de deux ans pour qu'en janvier 1898 il tentât de mettre à exécution ce projet de suicide que, dans son désespoir, il mûrissait depuis la fin de l'année précédente.

A bout de misère morale et physique, abandonné par sa femme, qui ne songeait plus qu'à vendre les œuvres qu'il lui envoyait, sans jamais lui réserver une part de gain; blessé au plus intime du coeur par la mort d'Aline, sa fille chérie, qu'il a apprise en avril 97; ruiné, aux abois, hors d'état de rembourser ses emprunts de la même année à la Caisse agricole, craignant d'être saisi; malade, torturé par sa jambe, qui ne s'est jamais rétablie de l'accident de Concarneau et par l'eczéma qui le ronge, menacé dans sa vue par une double conjonctivite, dans sa vie par une syphilis mal soignée, épuisé par des vomissements de sang (ah! qu'il est loin le mirage de Tahiti, « terre délicieuse » !), Gauguin parle de se tuer depuis le mois de juin. En décembre, sa résolution est prise. Avec un courage inconcevable, il veut mettre le point final à son œuvre; il exécute son testament pictural au titre pascalien: *D'où venons-nous? Que sommes-nous? Où allons-nous?*; il y travaille « durant tout le mois... jour et nuit, avec une fièvre inouïe »; et il achève le registre où il avait consigné l'essentiel de son message écrit: « en Janvier 1898 »; il part dans la montagne « où mon cadavre aurait été dévoré par les fourmis »; il se bourre d'arsenic; la dose est trop forte, il vomit; il est sauvé et « après une nuit de terribles souffrances », il rentre au logis.

La vie continue, et aussi l'œuvre. En août 1901, Gauguin s'installe dans les Iles Marquises, à Atuana; il s'y bâtit « la maison du Jouir », qu'il orne de ses bois sculptés, venus compléter son œuvre peinte. Mais aux affres de la maladie et de l'impécuniosité s'ajoute un conflit permanent, sans cesse envenimé, avec les autorités, depuis les gendarmes jusqu'à l'évêque. Par la parole comme par la feuille qu'il rédige et illustre, *le Sourire*, il pousse les naturels à s'insurger contre les diciplines que l'on fait peser sur eux et qui étouffent peu à peu en eux l'âme de leur ancienne civilisation. Au milieu de ces soucis qui le minent et l'affaiblissent progressivement, il peint ses derniers chefs d'œuvre: *Et l'Or de leurs corps, les Contes Barbares*, qui viennent prendre la suite de ceux qu'il avait exécutés à Tahiti et dont *la Orana Maria, l'Esprit des Morts veille*, lors du premier séjour, *Nevermore, Le Cheval Blanc*, les *Femmes au Mango*, lors du second, comptent parmi les plus illustres. Condamné le 23 mars 1903 à la prison et à l'amende pour « accusation » contre un gendarme, (« toutes ces préoccupations me tuent » écrit-il à son ami Monfreid), il est trouvé mort le 8 mai. Sa vie posthume commençait.

GAUGUIN ET LA CRISE DU MONDE OCCIDENTAL

Par delà Gauguin est posé le problème de l'évolution en cours de notre civilisation et de la place qu'il y occupe. Problème de civilisation, en effet, et que Gauguin exprime brutalement en 1895 à un grand intellectuel d'Occident, à Strindberg; il sent « tout un choc entre votre civilisation et ma barbarie. Civilisation dont vous souffrez. Barbarie qui est pour moi un rajeunissement ». Au soir d'une civilisation vieillissante, Gauguin le « sauvage du Pérou », Gauguin « l'Indien » ainsi qu'il se nomme, ne dessine-t-il pas les voies par où elle peut et va tenter de s'évader d'elle-même, de faire éclater les limites où elle étouffe?

Le conflit, il l'a perçu et cerné encore plus précisément: il s'insurge contre l'antique culture en cours, contre cette tradition gréco-latine qui a fondé l'Europe mais qui succombe à sa propre sclérose. Il n'est pas seul, mais plus lucidement, plus catégoriquement qu'un autre, de par le hasard de ses origines et de son génie, il exprime une inquiétude dont l'éclosion remonte aux romantiques et que nous avons vue se précipiter depuis. « Déclin de l'Occident », a dit Spengler. Condamnation de la culture latine, proclamait Gauguin. Dix fois il le répétera, par exemple à D. de Monfreid, en octobre 1897: « Ayez toujours devant vous les Persans, les Cambodgiens et un peu l'Egyptien (1). La grosse erreur c'est le Grec, si beau soit-il ». Qu'est-ce qui le heurte dans Puvis, malgré son admiration? « Il est grec, tandis que moi je suis un sauvage, un loup des bois sans collier » (2). Plus de Pégase, plus de cheval du Parthénon ! Il faut se reculer « bien loin, plus loin que les chevaux du Parthénon — jusqu'au dada de mon enfance, le bon cheval de bois » (*Avant et Après*). Ce n'est point une boutade, c'est un message. Et d'ailleurs, « ces satanés Grecs qui ont tout compris » n'ont-ils pas enseigné eux-mêmes, au nom de qui on la condamne, que « l'animalité qui est en nous n'est pas tant à mépriser qu'on veut bien le dire », puisqu'ils « ont imaginé Antée qui reprenait ses forces en touchant la terre. La terre, c'est notre animalité, croyez-le bien ! » — et c'est notre inconscient ! Mythe d'Antée ! L'heure n'est-elle pas venue de le renouveler? Telle est la question que, de toute son œuvre, pose Gauguin.

Ce faisant, ne formule-t-il pas déjà le problème qui domine notre époque? Depuis quelques années, n'assistons-nous pas à un effort dramatique de notre civilisation pour dépasser les cadres de la pensée, trop bien organisés par elle, pour retrouver, par delà une culture trop codifiée, le sol initial, cet inconscient qui obsède de nos jours littérature, art, philosophie, psychologie, médecine même — toute la vie moderne? La curiosité passionée qui nous a entraînés vers les psychismes non élaborés, proches de leurs sources, vers les arts primitifs, nègres ou archaïques, vers les dessins d'enfants, vers les peintres du Dimanche, vers les œuvres de fous, n'est-elle pas le signe de l'instinct et de la nostalgie qui dirige le monde moderne, en quête de régénération, vers les origines de la pensée? Pour y parvenir, il sait qu'il lui faut transgresser, faire éclater, les disciplines rationnelles, corset qui fait sa force mais qui, la croissance venue, l'étouffe.

Gauguin, annonciateur, essaie de percevoir, à travers l'art, où réside le malaise. « L'art primitif, précise-t-il, procède de l'esprit et emploie la nature. L'art soi-disant raffiné procède de la sensualité et sert la nature. La nature est la servante du premier et la maîtresse du second... elle avilit l'esprit en se laissant adorer par lui. C'est ainsi que nous sommes tombés dans l'abominable erreur du naturalisme ». Or, cette course au réalisme asservissant l'Esprit, à son sens, elle a pris naissance avec la civilisation gréco-latine: « Le naturalisme, affirme-t-il, commence avec les Grecs de Périclès... Dans notre misère actuelle il n'y a de salut possible que par le retour raisonné et franc au principe », c'est-à-dire à « l'art primitif ».

La pensée de Gauguin prête au malentendu. Il est certain que la Grèce de Périclès sauvegarde l'Esprit et ignore le réalisme matérialiste auquel ses lointains continuateurs succombent. Et pourtant, Gauguin voit presque juste: c'est, un peu plus tard, avec la pensée d'Aristote, son souci du fait particulier et expérimental opposé à l'idée, chère à Platon, que s'est implantée dans le monde une conception nouvelle; elle nous a donné nos certitudes et nos réussites, mais aussi nos lacunes, nos limites qu'ignorent tant de civilisations primitives ou orientales.

(1) Le tableau « Te matete » (Bâle) est significatif à cet égard. On dirait des figures des bords du Nil.
(2) La boutade venait de Degas, Gauguin, secrètement flatté, l'a souvent répétée.

BAIGNEUSES À TAHITI.
Institute of fine Arts, Birmingham, Angleterre.

VAIRUMATI. Tahiti. 1897.
Ancienne collection Matsukata, Musée du Louvre.

D'où venons-nous? Que sommes-nous? Où allons-nous? Tahiti. 1897.
Museum of Fine Arts, Boston, Massachusetts, U.S.A.

NATURE MORTE AUX TOURNESOLS. 1901.
Collection Emil G. Bührle, Zürich.

POÈMES BARBARES. Tahiti. 1896. Fogg Art Museum, Harvard University.
Collection Maurice Wertheim. Cambridge, Massachusetts, U.S.A.

CONTES BARBARES (AVEC AU FOND L'IMAGE DE RÊVE DE MEYER DE HAAN). 1902.
Folkwang Museum, Essen.

Tête de femme tahitienne

◁ AUX ILES MARQUISES. 1902. Collection particulière.

De ce jour, l'Occident a cherché à donner à la connaissance une base universelle et stable, donc objective; il l'a trouvée dans le monde extérieur, origine commune de nos sensations, et ce monde extérieur, pour plus de sûreté, il l'a considéré avant tout sous son aspect matériel et spatial, plus propice à l'observation et à la mesure, hors du temps qui en modifie d'instant en instant l'identité. Entre les phénomènes ainsi définis il a tenté d'établir des rapports constants de cause à effet qui les expliquent, en prévoient la répétition et en permettent l'imitation, ou le perfectionnement. La culture, fondée ainsi sur les éléments d'objectivité, sur les faits concrets et les rapports logiques, a tendu à s'y limiter, donc à étouffer et à proscrire le reste, toutes ces révélations intérieures, subjectives, qui compromettent l'universalité de la réalité positive, d'une part, de la raison, d'autre part.

Cette culture, Rome l'a alourdie et systématisée: fortement ébranlée durant le Haut Moyen Age par le christianisme, la chute de l'Empire et l'afflux des éléments barbares, elle a progressivement rétabli son hégémonie depuis le XIII⁰ siècle, avec la résurrection d'Aristote et la montée de la bourgeoisie. Sensation et logique, réalité et raison, telles sont désormais les deux colonnes du temple.

A partir du XV⁰ siècle, le positivisme bourgeois, surtout dans le Nord, la renaissance de la latinité, surtout dans le Sud, lui ont conféré une rigueur croissante, et elle a trouvé son expression, son instrument et son triomphe dans la Science expérimentale. Peu à peu s'est dissipé ce sens de la Beauté et de l'Harmonie, qui maintenait l'équilibre de la Grèce et sa spiritualité; peu à peu s'est dénaturée l'effusion d'âme par laquelle le christianisme avait régénéré notre ère. Tout a succombé, Harmonie ou Foi, à la règle dogmatique; au XIX⁰ siècle triomphent la poussée bourgeoise avec le naturalisme, la poussée issue de la Renaissance avec l'académisme. Le binôme Réel-Raison devient la formule unique et absolue.

Or, dès le début du XIX⁰ siècle, bien des esprits se sont émus du desséchement et de l'étouffement qu'ils sentaient partout; ils ont vu avec effroi se tarir, surtout après le sensualisme rationnel du XVIII⁰ siècle, les sources de la vie intérieure et de son renouvellement; ils se sont épouvantés de la stérilisation où se dégradait cette tradition gréco-latine, chaque jour plus étriquée, plus bornée, sous l'action surtout de la règle bourgeoise.

Alors ils ont tenté un effort désespéré pour rompre le cercle chaque jour plus retréci où l'âme menaçait de s'asphyxier, et ce fut le romantisme. Un grand effort fut tenté pour rejoindre l'âme. Jusque-là, les arts prépondérants étaient ceux où la matière et l'espace, de tout leur poids et de toute leur fixité, jouaient le premier rôle: l'architecture et la sculpture. La peinture classique aspirait à les rejoindre, à les transposer, telle l'école davidienne. Par réaction, on se reportera vers la musique, art qui se meut hors de l'espace, dans la durée seule, art de la suggestion et non plus de la description, art de l'inexprimable et de l'invisible. En août 1901, Gauguin écrit à Monfreid: « Il y a, en somme, en peinture plus à chercher la suggestion que la description, comme le fait d'ailleurs la musique ».

On vit, en effet, peu à peu le Temps reprendre son importance, et avec lui l'irrationnel, non seulement dans les domaines littéraires et artistiques, mais dans celui même de la Science (1) qui, depuis la fin du XIX⁰ siècle, a trouvé dans cette évasion un prodigieux rebondissement. Rien ne se conçoit plus, nulle part, sans sa notion changeante, fuyante, dynamique, comme le principe de la musique. La couleur, qui en était bien plus proche que la ligne, si spatiale et si fixe, est devenue la préoccupation majeure de la peinture.

Mais, pour accomplir cette libération, il fallut trouver des points d'appui; pour échapper à la latinité rétrécie, il fallut regarder au delà de ses frontières. Le moment n'était pas encore venu de chercher recours, comme Gauguin, jusqu'en Océanie. On se contenta d'abord de l'Orientalisme; plus près, même, on fit appel aux forces septentrionales ou germaniques, qui avaient su le mieux se préserver de l'emprise rationnelle et réaliste — ce fut l'heure de Shakespeare, de Byron et des romantiques allemands. Dans le passé on remonta aux époques qui avaient su aussi le mieux s'affranchir et on retrouva le Moyen Age. Cette évasion, Gauguin, lui, d'un seul coup la porta à sa limite extrême; dans l'espace, il chercha jusqu'aux antipodes, dans le temps jusqu'à l'immémorial.

(1) Cette science que le philosophe Le Roy déclarait, de nos jours, «scandaleuse pour les principes de la Raison d'autrefois ».

L'Esprit veille. Monotype.

Oviri. Le Sauvage. Profil de Gauguin. Bas-relief, bronze. Coll. particulière

Soyez amoureuses et vous serez heureuses
« Ce que j'ait fait de mieux et de plus étrange » écrit Gauguin en 1889.
Bois sculpté et peint.

LA DÉCOUVERTE
DE L'AME MODERNE

Encore fallait-il substituer un autre principe à celui que l'on reniait. A l'orée du XIXe siècle naissant, l'Allemagne chuchota le mot de passe des temps nouveaux, cette *Stimmung*, dont Novalis, si féru d'elle, disait que précisément elle « indique, présage des conditions psychiques de nature musicale ». La Stimmung, c'était bien la négation du rationnel, le premier appel encore tâtonnant vers son adversaire, l'inconscient; la Stimmung, c'est-à-dire tout ce qui échappe à la définition comme à l'explication, tout ce qui s'évade de leur fixité, tout ce qui se sent au lieu de se comprendre, tout ce qui est du domaine ténébreux et infini de l'âme plutôt que de celui limpide et délimité de la logique. L'art, désormais, devait moins s'occuper d'appliquer les règles définissables du Beau que de manifester les élans irremplaçables (1) de l'effusion sensible. Tout cela, le romantisme le libérait, et, par delà la réaction réaliste, Gauguin le percevait, en héritait. Il a su transgresser le rationnel, s'établir dans l'univers illimité, confus, exaltant de l'âme. « Et voilà la nuit. Tout repose. Mes yeux se ferment pour *voir sans comprendre le rêve de l'espace infini qui fuit devant moi...* » (2).

Le rêve et l'imagination opposés au réel, le temps et son invisible dimension préférés à l'étendue immobile et morne, l'inexprimable à la définition, l'inconnu et l'étrange aux certitudes et aux principes, que restait-il encore à transgresser? La base la plus solide de la logique, n'était-ce pas l'intangible principe de causalité: expliquer, comprendre chaque chose par sa cause et son effet? En ébauchant le jeu des analogies, des correspondances, le romantisme, en Allemagne, puis avec Delacroix et Baudelaire, avait commencé à dresser en face de lui tout un système de connaissance du monde, de perception et d'explication, qui lui échappait, celui-là même dont

---

(1) « Aimez ce que jamais on ne verra deux fois », disait Vigny. Que fit donc d'autre l'impressionnisme?
(2) Lettre à Fontainas, mars 1899.

usaient les peuples primitifs, avec leurs moyens magiques. Gauguin, qui aspirait à ces relations que l'intuition perçoit mais que la logique ignore, à ces liens mystiques qui, lancés d'une sensation à une autre, d'une apparence à une idée, de la nature à l'homme, tissent une trame d'indicibles communions, les reconnut dans le symbolisme; mais, pour ne les point voir lui échapper et déchoir en quelque factice doctrine littéraire, il partit vers les terres primitives où elles régnaient encore, impolluées par la raison et ses déductions.

Certes, tout cela Delacroix, le premier en France, l'a pressenti, en a jeté les germes: il a ouvert pour nous la boîte de Pandore, d'où se sont échappées, parfums insaisissables et enivrants épandus et dilués dans l'air, toutes les puissances nouvelles; intensité, imagination, couleur, musique, correspondances, suggestions, mystère... Mais il restait entravé: il était l'homme de haute culture classique, qui songeait plus à revivifier les traditions qu'à les ruiner. Il n'a pas été au delà.

Le premier qui ait pris conscience d'une rupture d'où sortirait le monde moderne, le premier qui se soit évadé de la civilisation latine, européenne (avec Rimbaud, toutefois !), pour retrouver, parmi les contes barbares et les dieux sauvages, les élans originels, le premier qui ait osé, lucidement et radicalement, transgresser, répudier la réalité extérieure et le rationalisme, celui-là, c'est Gauguin. Il en est qui ont plus directement façonné l'art moderne, tel que nous l'avons connu en notre siècle; mais nul n'a plus puissamment aidé l'âme moderne à oser être elle-même, telle que nous la voyons poursuivre aujourd'hui son développement encore imprévisible. Alors que l'art occidental avait pour pôle le connu, il lui a assigné l'inconnu vers quoi, seul, le jeune Rimbaud avait lancé le *Bateau ivre*.

Il est quelque peu vain de se demander quel fut le plus grand de Cézanne ou de Gauguin, de Gauguin ou de Van Gogh. Peut-être, cependant, la poussée créatrice, venue de l'être et qui s'impose au monde, fut-elle moins impérieuse, en Gauguin, que l'avidité de découvrir. En un sens, il a moins parcouru sa route projeté en avant par son jaillissement intérieur qu'inlassablement attiré par le mirage, toujours inassouvi, de l'inconnu. Dans sa vie, dans son développement, il a poursuivi un éternel ailleurs.

Mais c'est par là-même qu'il préfigure et qu'il incarne notre temps moins conscient de ce qu'il veut que de ce dont il aspire à s'évader.

En exprimant si profondément l'âme moderne, ses reniements impatients, son avidité inquiète, en un mot son angoisse, Gauguin a touché une des cordes qui résonneront toujours au coeur des hommes. A se libérer des certitudes, parfois trop contestables, on accepte d'affronter le vide; mais on découvre alors dans sa redoutable grandeur le problème de la destinée.

Or, Gauguin est au nombre des poètes et des artistes qui ont su nous mener jusqu'au bord de notre propre énigme. Peut-être d'ailleurs la pointe de cette énigme ne nous assaille-t-elle jamais autant qu'aux

Profil de l'artiste par lui-même. Dessin.

siècles où l'homme rejette volontairement les cuirasses qui ont fait leur temps, et qui ne sont plus à sa taille. Le XIXᵉ et le XXᵉ siècles sont de ceux-là.

Au XIXᵉ, Delacroix s'est complu à pencher la pâleur et le deuil d'Hamlet sur le crâne sans réponse de Yorrick. Aux approches du XXᵉ, où il ne vécut que ses trois dernières années, Gauguin a été chercher, très loin, « dans des yeux qui rêvent, nous dit-il, la surface trouble d'une énigme insondable ». Cette énigme, il a su la poser devant nous, alors qu'il allait demander en vain la mort à une tentative de suicide, dans une toile où éclatent trois cris cherchant une réponse :

D'où venons-nous?   Que sommes-nous?   Où allons-nous?

VILLAGE BRETON SOUS LA NEIGE, 1903. MUSÉE DU LOUVRE, PARIS

BIBLIOGRAPHIE

ÉCRITS DE L'ARTISTE

Vers 1890   *Notes synthétiques*, publiées par H. Mahaut, *Vers et Proses*, juillet-septembre 1910.

1892   *Ancien Culte Mahorie*, manuscrit conservé au Musée du Louvre et reproduit en fac-similé, avec une étude « *La clef de Noa-Noa* » par René Huyghe, Paris, La Palme, 1951.

1893   *Cahier pour Aline*, Tahiti, manuscrit, Bibliothèque d'Art et d'Archéologie, Paris.

1895   *Préface à l'Exposition d'oeuvres nouvelles d'Armand Séguin* - Février-Mars - Paris.

A partir de 1895, *Noa-Noa*, manuscrit, Musée du Louvre, Publié en collaboration avec Charles Morice, Revue Blanche, 15 Octobre 1897, puis aux éditions de la Plume, en 1900, à nouveau en 1908, enfin aux éditions Crès, Paris.

Le manuscrit a été reproduit en fac-similé par Meier-Graefe, Berlin (1926), puis Stockholm, Jean Förlag, 1947. Sur le manuscrit du Louvre, Gauguin, à la suite de Noa-Noa, a inscrit: *Diverses choses*, 1896-97 ; *Notes éparses sans suite comme les Rêves, comme la Vie toute faite de morceaux ; souvenir d'un hiver de 86 et d'un hiver de 94, l'Eglise catholique et les Temps modernes* ; à la fin on lit: « fin du volume. Janvier 1898 ». Fac-similé du brouillon remis à Morice, Paris, Sagot-le-Garrec, 1954.

1897-1898   *L'esprit moderne et le catholicisme*, autre manuscrit, City Art Museum, Saint-Louis, commenté dans le bulletin du musée, été 1949.

1899-1900   Gauguin publie des articles dans les *Guêpes*, Papeete et dans *l'Indépendant de Tahiti*.

Il édite lui-même *le Sourire* en polycopie - neuf numéros et trois suppléments reproduits en fac-similé, avec introduction et notes de L. J. Bourge, Paris, Perret-Maisonneuve, 1952.

1902   *Racontars de Rapin* (et non « d'un rapin »), manuscrit, Paris, Falaize, 1951.

1902   *Avant et Après* - publié en fac-similé à Leipzig Kurt Wolff, 1918 et à Paris, Druet. Edité à Paris, Crès, 1923.

LETTRES

1918   *Au peintre danois Willumsen* dans *les Marges* - 25 Mars.

1919   *A Daniel de Monfreid* avec un *hommage* par Victor Segalen - Paris, Crès, 1919 et Plon, 1930 et 1950 (édition établie par A. Joly-Segalen).

1921   *A André Fontainas*, Paris, Librairie de France.

1926   *A Emile Bernard*, Tonnerre ; réédité à Bruxelles, Nouvelle Revue, 1942 et Genève, 1954.

1939   Claude Roger-Marx - *Lettres inédites de Gauguin et de Van Gogh* dans *Europe*, 15 Février.

1943   *A Ambroise Vollard et André Fontainas*, San-Francisco.

1946   A *sa femme et à ses amis*, Paris, Grasset, complété en 1949.

Des lettres inédites ont été publiées dans *Arts*, 11 Janvier, 27 Septembre 1946 et 28 Mars 1947.

Une édition complète est en préparation par les soins de J. Rewald et H. Rostrup.

FAC-SIMILE

En plus des manuscrits cités précédemment, notons:

Robert Rey, *Onze menus de Paul G.*, Genève, 1950.

René Huyghe, *Le carnet de Paul G.*, Paris, Quatre Chemins, 1952.

Bernard Dorival, *Carnet de Tahiti*, Paris, Quatre Chemins, 1954.

Depuis les premières, celle de CHARLES MORICE, parue dans les *Hommes d'Aujourd'hui*, n. 440, en 1891 et celle de JEAN DE ROTONCHAMP, Weimar, 1906 et Paris 1925, puis à nouveau de CHARLES MORICE, Paris, 1920, citons surtout: POLA GAUGUIN, *Paul G. mon père*, Paris, Edition de France, 1938 (trad. du norvégien).

ROBERT REY, Paris, Rieder, 1924, réédité en 1928 et 1939.

CHARLES TERRASSE, Paris, 1927.

CHARLES KUNSTLER, *G. peintre maudit*, Paris, Floury, 1934, réédité en 1942 et 1947.

HENRI PERRUCHOT, *G., sa vie ardente et misérable*, Paris, le Sillage, 1948.

MAURICE MALINGUE, *G. le peintre et son oeuvre*, Paris, Presses de la Cité et Londres, 1948.

FRANK ELGAR, Paris, 1949.

CHARLES ESTIENNE, Skira, Genève, 1953 (illustré entièrement en couleurs).

CHARLES CHASSÉ, *G. et son temps*, Paris, Bibliothèque des Arts, Paris, 1955.

Il existe aussi des albums de planches, dont: PIERRE GIRIEUD, Paris, Album Druet, 1928 et, entièrement en couleurs, LOUIS HAUTECOEUR, Genève et Paris, Skira, 1942; JOHN REWALD, New York, Abrams, 1954.

CATALOGUES

MARCEL GUÉRIN: *L'oeuvre gravé de G.*, 2 volumes, Paris, Floury, 1927.

Depuis l'exposition des *oeuvres du premier voyage à Tahiti*, tenue chez Durand-Ruel, en novembre 1893, et la *vente du 18 février 1895*, à l'hôtel Drouot, faite par G. avant son nouveau départ, les principales expositions ont été:

Rétrospective du Salon d'Automne de 1906, catalogue avec introduction de CHARLES MORICE.

Sculptures, de G., au musée du Luxembourg, en 1927, catal. par MASSON et REY; suivie par *G. sculpteur et graveur* en 1928 - catal. par MASSON et GUÉRIN.

RAYMOND COGNIAT a donné successivement les catalogues de *G., ses amis, l'école de Pont-Aven et l'académie Julian*, Paris, Galerie Beaux-Arts, février-mars 1934; de *la vie ardente de Paul G.*, Paris, Galerie Wildenstein,

1936 et des expositions tenues à la Galerie Wildenstein de New York en mars-avril 1936 et avril-mai 1946.

L'exposition G. à Copenhague, Ny Carlsberg Glyptotek, en mai-juin 1948 a révélé surtout les oeuvres des collections danoises.

Exposition du *Centenaire*, Orangerie des Tuileries, Paris, été 49, avec introduction de R. HUYGHE et catalogue de J. LEYMARIE; reprise au Kunst Museum de Bâle, de novembre 1949 à janvier 1950, avec un catalogue complété.

G. et le groupe de Pont-Aven, au musée de Quimper, Juillet-septembre 1950, introd. par R. HUYGHE et catal. par G. MARTIN-MERY.

Paul G., paintings, sculptures and engravings, festival d'Edimburgh, 1955; introd. et notes par DOUGLAS COOPER.

ÉTUDES PARTICULIÈRES

(Les noms d'auteurs précèdent le titre, s'il s'agit de livres; le suivent, s'il s'agit d'articles)

Sur les techniques autres que la peinture: articles sur les *Oeuvres céramiques*, par ROGER MARX (*Revue encyclopédique*, 15 septembre 1891); sur les *Bois sculptés*, par LOUIS VAUXCELLES (*l'Art décoratif*, janvier 1911), de G. VARENNE (*la Renaissance*, décembre 1927), de ROBERT REY (*Art et Décoration*, février 1928); sur les *Bois gravés*, de DARAGNÈS (*Arts graphiques*, n. 49, 1935), de C. O. SCHNIEWIND (*Bulletin of the Art Institute of Chicago*, décembre 1940).

Sur l'influence de la peinture japonaise: C. MALTEE (*Emporium*, janvier 1947).

Sur les périodes marquantes de sa vie: *Paul G. à Copenhague*, par P. VASSEUR (*Revue de l'Art*, mars 1935), *Notes sur l'école dite de Pont-Aven*, par EMILE BERNARD (*Mercure de France*, décembre 1903), CHARLES CHASSÉ, *G. et le groupe de Pont-Aven* (1 volume, Paris, Floury, 1921); *G. in Arles*, par DANIEL-C. RICH (*Bulletin, Chicago Art Institute*, mars 1935); RENÉE HAMON, *G. le* solitaire du Pacifique (une plaquette, Paris, Vigot, 1939); *Les démêlés de G. avec les gendarmes et l'évêque des Iles Marquises*, par CHARLES CHASSÉ (*Mercure de France*, 15 novembre 1948).

Sur son entourage:

G. VISENTI, *La moglie di G.*, Florence, 1942, JEAN LOIZE, *Les amitiés du peintre G., D. de Monfreid et ses reliques de G.*, Paris, pour les « compagnons de St. Clément », 1951: Docteur RENÉ PUIG, *Paul G., D. de Monfreid et leurs amis*, Perpignan, la Tramontane, 1958, *Le peintre et collectionneur C.-L. E. Schuffenecker*; par M. BOUDOT-LAMOTTE (*Amour de l'Art*, 1935). *G. et Mallarmé*, par CH. CHASSE (*Amour de l'Art*, 1922). *G. et Victor Segalen*, par MICHEL FLORISOONE (*Amour de l'Art*, décembre 1938). *Paul G. and V. Segalen*, par A. JOLY-SEGALEN (*Magazine of art*, décembre 1952). *Camille Pissarro, his work and influence*, par JOHN REWALD (*Burlington magazine*, juin 1938). W. HAUSENSTEIN, *Van Gogh and G.*, Stuttgart-Berlin, 1914. *G. i Van Gogh w. Arles*, par K. MITERWA (*Glos Plastikow*, Pologne, décembre 1935). RENÉ HUYGHE, *le Carnet de Paul G.*, Paris, Quatre Chemins, 1952 (sur les rapports avec Bernard, p. 36 sqq. et avec Van Gogh p. 50 sqq.).

Sur son art:

L'Influence de Paul G., par MAURICE DENIS (*l'Occident*, octobre 1903, repris dans *Théories*, Paris, 1912); ROBERT REY, *la Renaissance du sentiment classique*, Paris, les *Beaux-Arts*, 1931, (le chapitre III est consacré à G.); *Sources of the art of G. from Java, Egypt and Ancient Greece*, par BERNARD DORIVAL (*Burlington magazine*, avril 1951); H. H. HOFSTATTER, *Die Entstehung des « Neuen Stils » in der franzòsischen Malerei um 1890*, thèse, Friburg en Brisgau, novembre 1954.

TABLE DES ILLUSTRATIONS